저마다의 속도로

저마다의 속도로

발 행 | 2024년 06월 03일
저 자 | 김효진
펴낸이 | 한건희
펴낸곳 | 주식회사 부크크
출판사등록 | 2014.07.15.(제2014-16호)
주 소 | 서울특별시 금천구 가산디지털1로 119 SK트윈타워 A동 305호
전 화 | 1670-8316
이메일 | info@bookk.co.kr

ISBN | 979-11-410-8803-3

www.bookk.co.kr

저마다의 속도로

김효진 지음

*

아주 얇은 두께라 금방 읽힐지도 모르겠습니다.
제 책은 꼭 순서대로 읽지 않으셔도 됩니다.
마음을 울리는 장을 먼저 보시는 것도 좋습니다.
모두 저마다의 속도가 있는 법이니까요.

목차

서문 9
조향사 10
나이 12
봄이 오는 속도 14
노력 16
사랑의 방식 18
아침 20
커피 22
숨 24
나무 26
고집 28
칭찬 30
만남 32
감칠맛 34
가족 36
저마다의 시간 38
사치 40
사과와 도마도 42
걱정 인형 사용 설명서 44
운명 46
어른아이 48
질투심 50
저마다의 속도로 52
감탄 54
사랑의 매듭 56
행운의 법칙 58
정리 60
선입견 62

금요일 64
조각 모음집 (1) 66
조각 모음집 (2) 67
조각 모음집 (3) 68
조각모음집 (4) 69
충치 70
다이버 72
상상 74

서문

죽기 전 나의 책 한 권을 내고 싶었다. 가볍게 쓰기 시작한 에세이의 내용만큼은 가볍지 않았다. 어떤 글은 한참 눈물을 쏟아내며 적기도 하고 어떤 글은 가벼운 마음으로 적기도 했다. 하지만 모든 글을 솔직하게 작성하려고 노력했다. 그런 의미에서 이 한 권의 책은 나라는 사람의 '치부 모음집'이다. 글을 쓰며 외면했던 내 모습을 바라보기도 하고 비로소 이해하기도 했다. 어쩌면 한 권의 책을 쓰는 시간보다 나에 대해 고민하는 시간이 더 길었을지도 모른다. 그 과정에서 아무에게도 말하지 못했던 깊은 고민을 해결하기도 했다. 서툴고 미숙했던 내 삶의 조각들을 이 책에 모아두었다. 완벽한 해결책을 제시하는 것은 아니지만 나의 글이 나와 같은 고민을 안고 있는 이들에게 위로가 되었으면 한다. 혹은 이런 사람도 있다는 것을 따스한 마음으로 눈감아주길 바란다.

김효진

조향사

내뱉은 말에는 각기 다른 향기가 난다. 말을 내뱉기 전 나는 조향사가 될 준비를 한다. 나의 말을 향수로 비유하자면 톱 노트와 미들 노트는 때때로 변하곤 했다. 상황에 따라 유쾌함을 넣을 때도 소신을 넣을 때도 있었다. 하지만 휘발성이 가장 낮아 오래 지속된다는 베이스 노트만큼은 늘 다정함으로 채우려고 한다. 세상에는 선의를 온전히 받아들이지 못하는 사람들이 많다. 누군가는 진심을 담아 건넨 말에도 흠집을 낸다. 그렇지만 우리는 안다. 비난의 말을 내뱉기가 훨씬 쉬운 세상에서 다정함을 전하는 사람의 향은 오랜 시간 동안 잊히지 않는다는 것을. 나에겐 그런 친구가 있었다.

나의 첫 노래방 경험은 늦은 편이다. 노래를 예약하는 방법도 몰랐던 나는 친구가 노래방에 가자고 하면 걱정이 앞섰다. 이상하게도 경험의 부재는 늘 사람을 작아지게 했다. 어떻게 불렀는지도 모를 한 시간이 지나고 집에 가는 길 친구는 이렇게 말했다. "너 아까 노래 되게 잘 부르더라. 그러니까 너무 걱정하지

마. 재미있게 놀았으면 된 거야."

지금은 연락처도 모르는 그 친구의 목소리가, 그날의 표정이 10년이 훌쩍 지난 지금까지도 종종 떠오른다. 나는 여전히 노래를 못하고 노래방에 가는 것이 싫은 어른이지만 처음 무언가를 접할 때 더 이상 두려워하지 않는다. 그 애가 건넨 다정함이 나를 단단하게 만들었다. 나도 그 애처럼 나의 말이 타인에게 어떤 영향을 줄지 아는 사람이 되고 싶다. 아주 오랫동안 기억에 남는 따스한 향으로 남고 싶다.

나이

어느 순간 나이에 관한 질문을 잘하지 않게 되었다. 가끔은 내 나이도 헷갈리는 지경이다. '벼는 익을수록 고개를 숙인다'는 속담이 나이가 들수록 겸손해져서 인줄 알았는데 부끄러움 때문인가 보다. 지나고 보니 훌쩍 자라버린 몸에 비해 무언가 이루어낸 것이 없어 오는 부끄러움. 어릴 때도 대단한 도전을 해온 것은 아니지만 나이가 들수록 자꾸만 익숙한 길을 걸으려고 한다. 그럴 때면 '굳이' 필요는 없지만 나라는 사람에 색을 더해주는 것들을 구매한다던가, '괜히' 새로운 걸 시도해 본다. 작은 시도만으로도 평범했던 일상이 조금은 특별해지는 기분이다. 마치 밑그림만 그려둔 그림에 색을 칠하는 것처럼 말이다.

얼마 전 재즈는 모르지만, 왠지 모를 찌지직 소리가 좋아 LP 플레이어를 구매했다. 이왕 LP 플레이어를 구매했으니 괜히 어울리는 노래를 찾아보고 들어보기도 했다. 익숙한 플레이리스트 속 낯선 음색이 신선하다. 또 어떤 날은 필름 카메라에 빠졌다. 사진을 배운 적도 없고 잘 찍지도 못하면서 여러 가지 필름 카메라를 구매했다. 그냥 지나가던 풍경도 한 번 찍어보고, 늘 옆에 있어 익숙한 사람들의 모습도 담아보았다. 어느새 앨범 한 권이 사진들로 꽉 찼다. 사진을 넘겨보는 내내 잊고 있던 추억들이 떠올라 마음이 부푼다.

나이가 들수록 삶은 안정되지만 크게 기뻐하거나 놀랄만한 일들은 줄어드는 듯하다. 마치 겉은 멀쩡하지만 속은 텅 비어버린 것처럼. 마음이 늙지 않도록 마음을 다해 살아가야겠다. 어쩌면 나이가 든다는 것은 마음을 울리는 일들을 쌓아가는 것이 아닐까?

봄이 오는 속도

봄은 내게 허영심을 가져온다. 내 마음은 아직 겨울에 머물러 있는데 봄이 오는 속도는 늘 빨랐다. 봄은 너무 찬란하고 누구에게나 환영받는 존재라 그 속에 머물기 위해 나는 부단히 노력해야 했다. 겨우내 색을 잃었던 풍경에 꽃이 피어나면 사람들은 그 짧은 축복이 사라질세라 주말마다 꽃을 보러 간다. 덩달아 나도 봄의 한 자락과 함께 사진 남기는 것을 과제 삼고는 했다. 흩날리는 벚꽃 속에서 수백 장의 사진을 찍었지만, 마음에 드는 사진은 없었다. 봄의 풍경은 너무나도 아름다운데 그 안에 찍힌 내 모습은 아름답지 않았다.

사진 앱을 켜고 얼굴을 보정하다 보니 기분이 이상했다. 역광에서 찍은 꽃도, 야간에 찍은 나무도, 초점이 맞지 않는 별도 모두 아름다운데 나는 왜 그렇지 못할까? 자연의 사전적 의미는 '사람의 힘이 더해지지 아니하고 저절로 이루어지는 모든 존재나 상태'라고 한다. 인위적인 힘 없이 스스로 발전하는 존재. 자연은 보정이 필요하지 않다. 어떤 꽃은 피기도 전에 뿌리가 얼기도 하고 금세 꽃잎이 저버리기도 하지만 그들은 새싹을 움트려는 것만으로도 모두 봄에 어울린다. 꼭 만개하지 않아도 된다.

한참 취업에 힘들어하던 20대 중반의 내게 언니는 이런 문자를 보냈다. "사랑하는 효진아, 세상에 흔들리지 않고 피는 꽃이 없다더라. 네가 봄에 피는 개나리가 될지, 가을에 피는 국화가 될지 모르지만, 일찍 피는 꽃은 일찍 지는 거야. 언니는 네가 만개한 국화가 되면 좋을 것 같다."

내 속도는 항상 느렸다. 시작의 상징 봄의 계절에는 늘 긴장하고 아팠다. 클라우드에 접속해 3월의 내 사진들을 찬찬히 들여다보았다. 왠지 모르게 비대칭으로 어그러진 얼굴이 더 이상 거슬리지 않았다. 온 힘을 다해 활짝 웃고 있는 모습이 제법 봄에 어울렸다. 용기를 내어 그중 가장 활짝 웃고 있는 사진을 프로필 사진으로 올려보았다. 가장 어그러졌지만 가장 싱그러운 사진. 스스로 만들어낸 내 표정이 마음에 든다. 비소로 마음 편히 이번 봄을 즐길 수 있을 것 같다.

노력

노력은 단어 그 자체만으로도 누군가의 고단하고 감동적인 서사를 떠올리게 한다. 부족하게만 느껴졌던 지난날들을 마주하면 나의 노력은 한없이 작아지고는 했다. 나는 정말 무언가를 위해 죽도록 노력한 적이 없었을까? 아니다. 내 삶은 노력의 연속이었다. 동시에 노력한 만큼 결과가 나오지 않을까 봐 지레 겁먹어서 내가 들인 노력의 시간을 폄하하고는 했다. 노력을 부정하는 것은 나만의 안전 방지턱이었다.

내 직업은 공인중개사다. 다니던 회사가 버거워 도망치고 싶은 마음에 선택한 직업이었다. (공부만큼 일을 쉬기에 적당한 핑계는 없었다) 도전의 시작은 고난이었고, 그 해는 내 인생에 있어 가장 성실히 달려온 해였다. 그럼에도 늘 불안했다. 사람들은 뭐든 결과만 보고 쉽게 판단한다. 그들에게 과정은 중요하지 않다. 오로지 시험 합격 여부가 내가 투자한 시간의 가치를 정한다. 누군가가 이번 시험에 붙을 것 같냐고 물어보면 나는 "그냥 한 번 해본 거야."라고 대답했다. 두려움이 찾아오니 가장 먼저 내려놓는 게 내 노력이라니 참 우스웠다.

그럼에도 해야 할 일들이 있었고, 나는 그날 정해둔 할 일을 모두 해치우고 나서야 잠에 들었다. '노력'의 또 다른 말은 '인내'다. 자고 싶은 것, 쉬고 싶은 것, 놀고 싶은 것, 때때로 울컥 터져 나오는 감정들까지도. 이제야 알았다. 결과가 어떻든 내가 한 노력은 부정당할 수 없다는 것을. 내 노력은 부풀려지거나 폄하될 필요가 없다. 누구도 알아주지 않는다면 내가 알아주면 되지 않나.

"오늘도 열심히 살았다."

사랑의 방식

나는 혼자 있을 때 진정한 자유를 느끼는 편이다. 사람은 필연적으로 타인과 관계를 맺고 살아간다. 그 점은 때때로 내게 즐거움을 주기도 하지만 보통은 피로감으로 다가올 때가 많았다. 한국의 획일화 된 교육환경 속에서 우리는 장장 19년 동안 대부분의 시간을 학교에서 보낸다. 하나의 공간에서 늘 마주 봐야 하는 얼굴들. 나는 학교에 들어가면 숨이 쉬어지지 않을 때가 많았다. 차라리 그때 MBTI라도 유행했다면 나를 이해하는데 조금 더 쉬웠을까?

나는 하루 종일 어떤 무리에 속해있는 게 힘들었고 그런 내가 이해되지 않았다. 그 당시 나는 친구를 사귀고 싶지 않았다. 그저 얼굴만 아는 지인들 속에서 모든 걸 혼자 하고 싶었다. 친구 세계를 확장하는 것이 서툴렀던 나는 아주 오랜 시간에 걸쳐 내 사람들을 만드는 법을 배웠다. 비단 이런 내 성격은 친구에게만 적용되는 것은 아니었다. 가장 사랑하는 가족에게도 그랬으니까. 어릴 적 부모님은 내가 방문을 닫고 있는 것을 서운

해하셨지만 그렇지 않으면 나는 숨이 막혔다.

나만의 공간, 나만의 시간, 고독

고독은 내게 자유를 선사했고 그 안에서 나는 해방감을 느꼈다. 물론 가끔 소꿉친구와 오랫동안 관계를 유지하는 사람들을 보면 부럽기도 하지만, 그 관계를 유지하는데 쏟은 그들의 노력을 생각하면 이내 부러움은 사라지곤 한다. 나라는 존재를 침해하지 않는 것, 그것이 내가 생각하는 자유다.

누군가는 나를 보고 이상하게 생각할지 모르지만, 나는 그들과 내 사이의 적당한 거리감을 통해 서로를 보호한다. 하루에 한 시간이라도 오롯이 혼자만의 시간을 가지며 해방감을 느끼고 나면 마음의 여유가 생긴다. 이 작지만, 단단한 여유는 타인에게 안부와 애정을 다할 힘을 선사한다. 이게 세상에 잘 어울리지 못하는 내가 사람들을 사랑하는 방식이다.

아침

아침을 사랑한다. 어두웠던 하늘이 점점 밝아지면 아침형 인간인 나의 하루가 시작된다. 출근길 코에 닿는 쌀쌀한 아침 공기는 잠에 취한 나를 깨워주는 알람 시계이다. 이른 시간인데도 거리에 사람들이 많다. 출근하는 직장인들, 장사하는 상인들, 학교 가는 아이들까지. 저마다의 목적을 가지고 움직이는 사람들을 보면 어느새 내 마음속에도 활력이 돈다. 출근 후 자리에 앉으면 유리창을 통해 따스한 햇살 자국이 들어온다. 일렁거리는 햇살을 보며 괜히 옆자리 사람에게 "좋은 아침이에요."라고 따뜻한 인사를 건네기도 한다.

나의 의지와 상관없이 매일 찾아오는 아침을 바라보면 어젯밤 나를 괴롭혔던 고민도 작게만 느껴진다. 고민만 깊어지던 밤이 지나면 외면했던 일들을 하나씩 해결할 시간이다. 다이어리에 오늘 하루 할 일들을 적으며 어떤 하루를 보낼지 결정한다. 해야 할 일들은 때때로 변하지만 행복한 하루를 보내겠다는 다짐은 늘 똑같다. 점심과 저녁 사이의 시간은 꽤 긴데 아침과 점심 사이의 시간은 비교적 짧아 아침은 금방 지나간다. 이른 기상은 늘 피곤하고 아침 시간은 바쁘지만, 내가 살아있음을 느끼게 해주는 아침이 금방 지나가는 것이 아쉽기도 하다. 오늘 하루를 잘 보내고 나면 내일도 새로운 아침이 오겠지. 오늘도 좋은 아침이었다.

커피

어느 순간부터 저녁에 커피를 마시면 잠이 잘 오지 않는다. 과하게 각성한 뇌는 쉬지 않고 생각을 뽑아낸다. 왠지 모를 우울함이 요동치는 밤이다. 그런 날이면 포근했던 이불마저 가슴을 무겁게 짓누르는 기분이 든다. 원하는 감정을 덜어낼 수 있는 마법 스푼이 있다면 얼마나 좋을까? 아까 마신 아메리카노처럼 씁쓸한 기분이 맴돈다.

메모장을 켜고 나만 볼 수 있는 글을 쓴다. 깊은 감정의 바다에 빠져버리면 슬픔의 원인도 잊은 채 오로지 감정에 충실하게 된다. 때로는 눈물로, 글로, 외침으로 감정을 덜어낸다. 한참을 덜어내고 나면 마음도 조금 가벼워진다. 뻑뻑하고 충혈된 눈과 피곤한 몸을 얻고 마음은 비웠다. 꽤 괜찮은 등가교환일지도 모른다.

다시는 밤에 커피를 마시지 않겠다고 다짐하고 일어난 아침엔 다시 커피를 찾는다. 커피 때문에 잠들지 못했는데, 커피로 정신을 깨우는 게 현대인답다고 생각했다. 그런 날이면 건강 때문에 외면했던 아이스 바닐라 라테를 마신다. 씁쓸한 커피 원액을 넣은 건 똑같을 텐데 달콤한 바닐라 시럽에 입안도 달게 느껴진다. 내 하루에도 의식적으로 달큰한 시럽 몇 방울을 떨어트려 줘야겠다. 그 달큰함에 피곤했던 하루도 편히 지나갈 수 있도록.

숨

한계를 느끼며 달리고 싶다. 심장이 벅차올라 터질듯한 기분을 느끼고 싶다. 살아있음을 느끼고 싶다. 나는 숨 쉬며 살아있는 게 분명한데, 때때로 정말 살아있는 게 맞는지 확인하고 싶어진다.

얼마 전 세부에 갔다. 따가운 태양에 살갗이 따끔거린다. 그 따끔함이 나를 향해 뛰라고 말하는 것 같았다. 낯선 풍경과 뜨거운 공기에 내뱉는 숨마저도 들떴다. 새로운 도전을 하기 딱 좋은 장소다. 오늘이라면 수영에 성공하지 않을까. 물속에서 숨을 참으며 그동안 내가 내쉬었던 모든 숨을 생각했다. 얼마나 더 숨을 참을 수 있을까? 조금 더 헤엄치고 싶다.

조금만 더,

하나, 둘, 셋… 크게 숨을 들이쉬며 물 밖으로 나왔다.

한국으로 돌아오니 아직 겨울이다. 거뭇하게 탄 피부만이 내가 세부에 있었음을 증명한다. 쌀쌀한 겨울 공기를 들이마시는 순간 세부에서의 수영이 떠올랐다. 다음엔 조금 더 길게 숨을 참아봐야지. 그리고 그보다 더 길게 숨을 내뱉어야지. 나의 한계를 넘는 순간을 기억하며, 숨 막히는 이곳에서도 물속에서의 기억으로 살아가야지.

나무

겨우내 펑펑 내리는 눈이 즐거웠던 것도 잠시, 금방 겨울이 지겨워졌다. 그날은 온통 하얀 세상에 색이 빼겨버린 것만 같아 좀 푸릇한 걸 보고 싶었다. 식물 키우는 데 영 소질은 없지만 나무 묘목을 주문했다. 본가에는 딱 내 나이만큼 함께 자란 파키라 나무가 있다. 생명력이 강해 딱히 신경 쓰지 않아도 잘 커 줄 것 같아 이번에도 파키라 나무를 선택했다.

그런데 도착한 묘목은 좀 이상했다. 택배가 험했는지 잎은 다 찢기고 줄기는 다 부러져서 왔다. 이미 다 잎이 떨어져서 온 묘목의 모습이 마치 밖에 있는 겨울나무 같았다. 덜컹하는 마음에 급하게 분갈이를 해주었다. 뒤늦게 본 설명서에는 식물도 분갈이 몸살이라는 걸 겪는다고 한다. '분갈이 몸살'이라니, 처음 들어보는 단어에 그제야 내가 주문한 생명의 무게가 무겁게 느껴졌다. 겨울에도 푸릇함을 보려고 했던 건 내 욕심이 아니었을까?

이전에 떠나보낸 식물들이 떠올랐다. 물을 흠뻑 주면 좋아할 줄 알았던 스투키는 과습으로 죽었고, 테이블 야자는 햇빛이 과했는지 잎이 거멓게 변해버렸다. 나는 진정으로 상대가 원하는 게 무엇인지도 모른 채 내가 주고 싶은 사랑만 주었다. 줄기가 흔들릴 때마다 나무가 말하는 것 같았다. "상대방이 원하는 걸 주어야 사랑이지."

인터넷에서 파키라 나무 키우는 법을 검색해 보았다. 최적온도 20~30도, 물은 겉흙이 마르면 흠뻑, 해는 반양지에서. 두 달 후 금방이라도 죽을 것만 같던 파키라 나무가 싹을 피워냈다.

고집

요즘 들어 고집스러운 사람이라는 수식어가 왠지 밉지 않다. 완고하게 의견을 드러낼수록 표적이 되기 쉬운 세상 속에서 고집을 부리는 건 여간 어려운 일이 아니다. 그럼에도 나는 고집스러운 사람이 되고 싶다. 뭐든지 쉽게 포기하는 사람이 되고 싶지 않다.

사회는 종종 '다름'을 '틀림'으로 정의하고는 한다. 한 예로 어릴 적 왼손잡이였던 나는 오른손으로 글씨 쓰기를 강요받았다. 어른들은 끝까지 고치지 않으려고 하는 내게 체벌을 가했다. 내게 인체공학적으로 설계되었다는 말은 오른손잡이 전용이라는 말과 같았다. 하물며 지하철 개찰구의 카드 찍는 방향까지도 오른손잡이 기준으로 만들어졌으니 생활 속 불편함이 많았다. 하지만 나는 고치지 않았다. 나의 고집은 단순한 반항이 아닌 내 정체성을 잃지 않기 위한 외침이었다. 사실 교정되어야 할 대상은 왼손잡이가 아닌 사회가 아닐까?

비단 왼손잡이뿐만 아니라 사회에 존재하는 소수 집단의 목소리는 아집 취급당하기 쉽다. 나는 그들의 목소리가 아집이 아닌 투쟁으로 받아들여지길 바란다. 사회는 수많은 고집이 모여 성장하고 발전한다. 장애인들의 투쟁으로 만들어진 지하철 엘리베이터를 누가 제일 많이 사용하고 있는지 생각해 보자. 누군가의 고집으로 이뤄낸 성과가 당신에게 간절해지는 순간이 올 수도 있다. 이 글을 읽고도 내게 고집불통이라고 말하는 이들에게 말하고 싶다. 나는 고집을 부리는 게 아니라 (Go) 나아가는 거라고.

칭찬

나는 상대방의 단점보다는 장점을 먼저 찾는 사람이다. 굳이 찾으려고 하지 않아도 그들의 장점이 먼저 보이고 그것에 대한 칭찬을 아끼지 않는다. 칭찬을 받는 사람들의 반응은 모두 다르다. 어색했는지 어쩔 줄 몰라 하는 사람부터 자연스러운 감사 인사를 건네는 사람까지 각양각색이다. 처음엔 칭찬에 인색한 사람들도 나와 함께 지내다 보면 자연스럽게 칭찬을 건네곤 한다. 그럼, 금세 우리의 하루는 부정적인 단어는 물러나고 긍정적인 단어로 가득 찬다.

내 칭찬은 대가를 바라지 않지만, 늘 그보다 더 따스한 말들로 되돌아오고는 했다. 맛있는 카페에 가면 커피 맛에 대한 칭찬을 아끼지 않는다. 마음에 드는 물건을 구매하면 정성스레 후기를 작성한다. 누군가는 이런 내게 시간이 아깝지 않냐고 묻는다. 하지만 내 작은 시간을 투자해 상대방의 하루가 온전히 행복했다면 그것으로 내게 가치 있는 일이다.

이토록 타인에게 관대한 내가 스스로에게 엄격한 것은 참 이상한 일이다. 나의 장점보다는 단점에 집중하고 부족한 부분을 채우려고 애를 썼다.

이런 내게 친구들은 말한다. "상대방의 장점을 가장 먼저 알아차리고 칭찬을 건네는 건 너만의 큰 장점이야." 칭찬은 전염성이 강하다. 오늘도 내 하루는, 우리의 하루는 칭찬으로 가득 찼다. 이렇게 우리는 서로가 함께할 때 자신도 몰랐던 장점을 찾고는 한다.

만남

"첫 만남은 너무 어려워. 계획대로 되는 게 없어서."

요즘 나도 모르게 흥얼거리고 있는 노래 가사다. 신인 아이돌 그룹의 노래인데도 금세 1위를 차지한 건 많은 사람들이 가사에 공감해서가 아닐까? 첫 만남은 늘 어렵다. 잘 보이고 싶고 오랫동안 알고 지내야 하는 상대일수록 더 그렇다. 자연스럽게 다가가야 하는데 괜히 뚝딱거리고 오바하는 내 모습이 조금 우스꽝스럽기도 하다. 친해지고 나면 꾸밈없는 내 본연의 모습을 보여주지만, 첫 만남에 무례하게 다가오는 사람에게는 거리를 둔다.

때때로 상대방의 기분은 생각하지 않고 마음대로 행동하는 사람들이 있다. 첫 만남에 대뜸 "효진 씨는 속이야기를 잘 안 하는 편이야? 속을 모르겠어."라고 말하는 사람도 있었다. 무심코 던진 돌에 개구리는 맞아 죽는다는 속담이 있듯이 그 사람은 툭 하고 가볍게 던진 말이지만 내 마음은 불편해졌다.

그런 사람들에게는 온전한 내 자신을 보여주기보다는 사회적인 페르소나를 사용하고는 한다. 그런데 페르소나가 꼭 나쁜 것일까? 심리학에서 페르소나는 없애야 할 것이 아닌 구별되어야 하는 것이라고 한다. 외부 세계와 원활한 만남을 위해 도와주는 윤활유 같은 것이다. 필연적으로 피할 수 없는 불편한 만남에서 내가 상처받지 않도록 보호해 주는 보호막이기도 하다. 또 다른 한편으로는 내가 상대방에게 보이는 배려이다.

나보다 낯을 많이 가리는 사람을 위해 나도 뚝딱거리지만 자연스럽게 먼저 말을 건네거나 나보다 힘들어 보이는 사람에게 지하철 좌석을 양보한다. 아이를 좋아하지는 않지만, 아이가 울면 보호자가 민망하지 않게 아이를 달래준다. 만나는 상대방에 따라 적절한 가면을 사용해 편안한 만남을 만드는 일. 기분이 태도가 되지 않도록 하는 일. 각박해진 요즘 사회에 꼭 필요한 요소일지도 모른다.

감칠맛

식탐이 있는지 음식을 먹을 때면 늘 아쉬움을 느낀다. 매운 떡볶이에 한 장만 넣은 치즈가, 차돌 짬뽕의 차돌박이가, 부대찌개에 들어있는 햄 양이 아쉽다. 음식의 감칠맛을 더해주는 재료들의 양이 더 많았으면 좋겠다.

아쉬움을 가지고 자란 어른은 이제 얼마든지 재료를 추가할 돈이 있다. 매운 떡볶이에 치즈를 추가했다. 분명 치즈를 많이 먹고 싶었는데 예전만큼 맛있지 않았다. 치즈가 많아 매운 양념이 제힘을 내지 못하는 사태가 발생했다. 이번엔 차돌 짬뽕에 차돌을 추가해 봤다. 차돌의 기름 탓에 국물이 너무 느끼해졌다. 분명 조금만 있었을 땐 맛있었는데…… 아쉽다고 느꼈던 양이 적당량이었던 걸까. 살면서 아쉬웠던 모든 순간이 사실은 가장 빛나는 순간일지도 모르겠다.

삶이 요리라면 세상을 떠나기 전 가장 맛있는 요리 한 접시를 만들어두고 가고 싶다. 오늘도 적절한 레시피를 찾아가는 길을 걷는다. 감칠맛만 찾는다면 본연의 의미가 흐려질 수 있음을 기억하며.

가족

가족은 단어 자체만으로도 눈물을 흘리게 하는 치트키인데 글로 쓰려니 잘 써지지 않는다. 정말 소중한 것은 한 줄의 글로 남기는 것도 어려운가보다. 가족의 범위는 사람마다 다 다르겠지만, 내게 가장 먼저 떠오르는 존재는 부모님이다. 어쩌면 부모님처럼 내가 한 가정을 꾸려나갈 자신이 없어 아직도 보호받고 싶은지도 모르겠다.

나는 늦둥이 둘째다. 두 분은 어린 나이에 두 아이를 책임지며 맞벌이하셨다. 어렸을 적 퇴근하고 온 엄마가 지친 얼굴로 침대에 눕자마자 나는 엄마에게 투정을 부렸다. 그런 내게 엄마는 "효진이가 이번엔 엄마의 엄마가 되어줘! 엄마도 아이처럼 살래."라며 장난스럽게 나를 엄마라고 불렀다. 그 순간 늘 단단해 보이던 엄마가 내게 기대는 모습에 덜컹 겁이 났었다. 슈퍼우먼의 마음속에도 여린 아이가 있다는 것을 그때는 몰랐다.

독립 후 오랜만에 가족들을 만나면 마음속으로 깜짝 놀라고는 한다. 나의 만능 해결사 아빠의 어깨는 많이 작아지셨고, 엄마의 얼굴에는 주름이 늘었다. 오랜만에 가본 본가 베란다에는 찢어진 방충망이 듬성듬성 수리되어 있었다. 예전엔 새것같이 촘촘하게 고치던 아빠도 나이가 들었다. 그 이야기를 하자 아빠는 "내가 예전엔 그렇게 고쳤었나?"하고 허허 웃으신다. 활짝 웃는 아빠의 미소는 변하지 않았다. 많은 것들이 변했지만 서로를 향한 사랑하는 마음은 변하지 않았다.

어렸을 적 나는 참 속을 많이 썩이던 아이였다. 아프기도 자주 아파서 부모님께서 남몰래 많이 우셨다. 이토록 나는 가족에게 마음속 깊은 부채들이 많다. 내가 알고 있는 것보다 훨씬 많은 빚이 쌓여있을지도 모른다. 우리는 가족이라는 이름 아래 서로에게 수많은 빚을 지고, 저마다의 방법으로 빚을 갚는다. 분명한 건 가족의 무한한 이해와 사랑 없이는 지금의 내가 될 수 없었다는 것이다. 이제는 나도 그들에게 단단한 버팀목이 되어 주고 싶다.

저마다의 시간

시간은 누구에게나 공평하게 주어진다. 그렇기에 우리는 늘 비슷한 시간을 살아가는 사람들과 경쟁하고 비교하기 쉽다. 유독 한국은 연령대마다 달성해야 할 보이지 않는 커리큘럼이 있는 듯하다. 특정 시기에 또래보다 무언가를 달성하지 못할 때 우리는 불안감을 느낀다. 그럴 때면 '시간을 돌릴 수만 있다면 얼마나 좋을까'라는 생각이 들기도 한다. 그래서인지 요즘 나는 회귀물 세계관의 소설을 즐겨본다. 주인공이 시간을 돌려 실수투성이의 과거를 바로 잡을 때 알 수 없는 희열을 느낀다.

내 삶도 시간을 돌릴 수 있다면 어떨까? 미래를 아는 채로, 과거로 돌아갈 수 있다면 나는 지금보다 더 근사한 삶을 살아갈까? 아니면 언제든지 과거로 돌아갈 수 있다는 안도감과 미래를 안다는 자만심에 빠져 더 나태해질까? 정답은 알 수 없지만 아마도 후자일 것이다.

한때는 실수하면 좌절에 빠져 그때의 선택을 후회하고는 했다. 하지만 흘러간 시간은 다시 돌아오지 않기에 그 순간마다

느낄 수 있는 감정이 있다. 좌절과 후회는 무언가를 갈망하고 성취하고자 노력하는 사람만이 느낄 수 있는 '특권'이 아닐까? 그리고 꼭 과거로 넘어가지 않아도 내게는 잘못을 만회할 미래가 있다.

이런 생각은 어느새 과거에 머물러있던 나를 앞으로 나아가게 한다. 그럴 때면 늘 흘러가는 시간이지만, 그 시간의 흐름이 좀 더 특별하게 느껴진다. 저마다 주어지는 시간의 가치는 스스로가 정하기에 오늘도 용기 내 행동해 본다. 결과가 좋지 않아 후회할지라도 시간이 흐르면 나는 어딘가로 나아갈 것이다. 삶도 미리보기가 있다면 마음 졸일 일이 없겠지만, 결말이 정해져 있지 않기에 저마다의 시간은 모두 다르게 흘러간다.

사치

엥겔지수가 폭발하고 있는 요즘이다. 사치도 격이 있는 법인데 '음식 배달'에 대해 말하려고 하니 부끄러운 마음이 든다. 내 소비 목록의 대부분을 차지하는 건 배달이다. 귀찮음을 핑계로 한두 번씩 시켜 먹던 배달은 어느새 나를 배달 앱 VVIP로 만들었다. 흔히 사치라는 단어를 떠올리면 생각나는 명품이나 외제차는 내게 남기라도 하지만…… 이놈의 배달 음식은 먹고 나면 남는 게 없다. 최소 주문 금액을 맞추느라 과하게 시킨 음식들은 아까운 음식물 쓰레기로 남아 버려진다. 얻는 것이라고는 나쁜 식습관과 출렁거리는 뱃살뿐이다. 대단히 맛있지도 않는데 중독이라도 된 듯 배달 앱에 들어가 손가락 하나로 음식을 주문하는 내 소비가 사치가 아니면 뭐라고 할 수 있을까.

사치를 만드는 건 게으른 내 습관이고 스스로를 향한 무관심과 방임이다. 얼마 전 받은 건강검진 결과는 다소 충격적이었다. 실제 나이보다 4살 더 높게 나온 건강 나이. 심지어 유아와 노인에게 주로 발병된다는 대상포진까지 앓았다. 온몸이 내게 신호를 보내고 있다. 이제 스스로를 더 돌봐달라고, 더 이상 게을러져서는 안 된다고. 돈을 쓰는데, 내 몸과 마음을 병들게 한다니 이보다 모순적인 게 있을까? 이제는 진정으로 나를 위한 사치를 해보기로 했다.

건강을 위한 필라테스를 시작했다. 통장 잔고는 줄었지만, 근육이 조금 늘었다. 비싸도 건강한 식재료를 사봤다. 전보다 먹는 양이 늘었는데도 신기하게 소화가 잘된다. 아직 변화는 미미하지만 이제야 올바른 소비를 하고 있다. 나쁜 습관이 또다시 스멀스멀 올라올 때면 스스로에게 외친다. 나를 학대하는 사치는 더 이상 사절이라고.

사과와 도마도

'사과가 되지 말고 도마도가 되라' 사과처럼 겉만 붉고 속은 흰 사람이 되지 말고 토마토처럼 겉과 속이 같은 사람이 되라는 속담이다. (듣는 사과는 억울하다) 겉과 속이 같은 사람. 그런데 속이 별로인 사람이면 어쩌지? 그냥 사과든 토마토든 익어간다는 게 중요한 거 아닌가. 이왕이면 겉에 보이는 색보다는 마음의 빛깔을 예쁘게 칠하고 싶은 요즘이다.

얼마 전 필라테스를 시작하며 우리 몸에는 속 근육과 겉 근육이 있다는 걸 배웠다. 보통 몸을 만든다고 할 때 눈에 보이는 울룩불룩한 근육이 겉 근육이다. 그런데 내가 당장 필요한 건 겉이 아닌 속 근육. 무너진 척추를 세우고 몸을 지탱할 수 있도록 도와주는 속 근육이다. 겉은 좀 비실거려 보이더라도 속이 단단한 사람이 되고 싶다. 결과는 좀 좋지 못하더라도 하고자 하는 마음을 가진 사람이 되고 싶다. 껍질을 벗겼더니 멋진 과육이 드러나는 사과가 되고 싶다.

내가 동경했던 사람들은 늘 겉보단 속이 멋진 사람들이었다. 외모보다 빛나는 마음을 가진 사람들. 자꾸만 무너지는 마음을 다잡고 오늘의 할 일을 묵묵히 해내는 사람들. 아직은 여유가 없어 멋진 토마토가 되지는 못하지만 포기하지 않고 차곡차곡 마음을 쌓아본다. 그렇게 살다 보면 언젠간 방울토마토쯤은 되어있을지도 모르겠다.

걱정 인형 사용 설명서

나의 또 다른 이름은 걱정 인형이다. 어렸을 적 "태어남을 선택할 수 있다면 어떻게 할래?"라는 질문을 받으면 내 대답은 늘 "태어나지 않는다"는 것이었다. 현실이 행복하지 않아서가 아니라 살면서 겪을 수많은 걱정이 주는 스트레스가 더 컸기 때문이다.

내 걱정의 대부분은 인간관계에서 온다. 눈치가 빠른 성격 탓에 타인의 기분을 쉽게 알아차렸고, 갈등을 싫어하는 나는 보통 타인에게 맞춰주는 편이다. 주변인들은 그런 내게 천사라고 했지만 내 속은 종종 들끓는 분노로 가득 차 있었다. 실제로 나는 이기적이고 자기중심적인 성격인데 솔직하게 내 모습을 보여준다면 모두에게 미움받을 것 같았다. 거절하면 금세 실망하거나 언짢아하는 타인의 기분을 너무 쉽게 알아차렸다. 타인을 지나치게 신경 쓰며 생기는 걱정이 한 차례 지나가면 그런 걱정을 안겨준 상대를 미워하기도 했다. 단호하게 거절을 잘하는 사람이 부러웠고 자신만의 경계에 침범해도 아무렇지 않은 유들유

들한 사람이 되고 싶었다.

나는 여전히 눈치가 빠르지만, 눈치가 없는 척하는 자기방어적인 어른이 되어버렸다. 이제는 타인이 보여주는 만큼만 믿기로 했다. 굳이 상대방의 비언어적 표현에 의미를 부여하지 않기로 했다. 과한 배려는 서로에게 독이다. 요즘은 관계를 악화시킬까 봐 말하지 못했던 진심도 툭툭 던져보고는 한다. 마음을 담은 진심에 멀어질 사이라면 그 관계의 유통기한은 진작 지났을 것이다.

이런 나와, 또 나와 같은 걱정 인형들과 친해지고 싶은 사람들께 당부드린다. 나의 마음속 공간에 누군가가 불쑥 침범하는 것이 싫으니, 가랑비 옷 젖는 줄 모르게 천천히 대기표를 뽑고 들어와 달라. 고슴도치는 가시를 접을 시간이 필요하다. 이것도 싫다면 굳이 나와 친해질 필요 없다. 나는 절대 당신에게 먼저 민폐를 부리는 일이 없을 테니. 이것이 걱정이 많은 가짜 평화주의자의 삶이다.

운명

우리는 늘 운명에 이끌려 살아간다. 마치 거대한 자력으로 지구에 붙어있는 달처럼. 운명의 흐름을 눈으로 확인하고 싶은 마음에 사주를 봤다. 운명도 주식처럼 등락의 그래프가 있다. 그리고 내 운명의 암흑기는 25~29세였다. 마침, 삼재도 맞물려있어 '운수 좋은 날'의 '김 첨지'가 되기 딱 좋았다.

실제로 나의 암흑기를 돌아보면 유독 힘든 일이 많았다. 내게 주어진 수많은 이름에 부합하기 위해 온갖 애를 썼지만 앞으로 나가긴커녕 뒷걸음질 치는 날이 많았다. 인생의 중요한 결정은 왜 한 번에 몰려오는 건지…… 그렇지만 모두 다 잘 지나갔다. '잘 지나갔다.' 겨우 다섯 글자의 짧은 문장을 완성하기 위해 얼마나 많이 숨죽여 울었던가.

나의 가장 힘든 시기를 되돌아보았다. 신기하게도 잘 생각나지 않는다. 그 당시에는 자면서도 줄줄 말할 수 있었는데 말이다. 그저 힘들었던 감정만이 어렴풋이 남아있다.

나의 운명이 하락세를 보이더라도 나는 오늘의 할 일을 할 뿐이다. 내가 할 수 있는 유일한 일은 내 운명에 좌절하지 않는 것이다. 힘들었던 일들은 금세 잊히고 내가 이루어낸 것들만이 남을 것이라고 믿는 것이다.

어른아이

어디선가 '요즘 20~30세대는 성인은 맞지만, 어른은 아니라고 생각한다.'는 기사를 봤다. 나 또한 30대에 들어섰지만, 누군가 집에 어른 계시냐고 물으면 외출한 부모님을 떠올리고 아니라고 대답한다. 참 웃기는 일이다. 어릴 적 내 나이의 엄마는 누가 봐도 든든한 어른이었는데 나는 아직도 몸만 자란 아이 같다. 세상에서 가장 잘난 줄 알았던 20대 초반에는 엄마의 잔소리가 듣기 싫었다. 눈 깜짝할 새 30대에 들어서자, 내가 속한 수많은 역할과 이에 따른 책임이 물 밀리듯 쏟아졌다. 그제야 엄마의 잔소리가 그리워졌다. 물론 막상 잔소리를 들으면 싸우기도 했지만, 다 커버린 나도 아직 어리광 피울 수 있는 존재가 있다는 사실이 큰 위안이 됐다.

엄마는 언젠가 언니와 내게 이렇게 말했다.

"내가 너희들에게 줄 수 있는 건 삶의 지혜밖에 없어. 이미 너희들은 나보다 더 똑똑한데 오히려 내가 배워야지. 그렇지만 너희들은 아직 엄마 나이까지 살아보지 못했기에 알지 못하는 삶의 요령들이 있잖아. 이런 것들이 쌓여 어른이 되는 거야."
이 말을 듣자마자 왈칵 눈물이 쏟아졌다. 엄마 같은 다정한 어른이 되고 싶어졌다.

힘들다고 말하면 어른이 될 수 없을 것 같았는데, 어른의 삶은 원래 힘든 것인가 보다. 힘들면 아무 데서나 울던 아이는 이제 몰래 울음을 삼킬 줄 아는 어른이 되었다. 누군가 뒤에서 톡 건드리면 애써 감춰둔 눈물이 왈칵 쏟아질지라도, 남은 할 일을 마무리하는 어른 말이다. 꿋꿋이 걸어가다 보면 나도 엄마처럼 삶의 요령이 쌓여 조금은 단단해지겠지. 그리고 언젠가는 나와 같은 어른아이에게 따스한 위로 한마디를 건넬 수 있겠지. 이제 누가 집에 어른 계시냐고 묻는다면 '내가 어른이니 나에게 말하시라'라고 대답할 수 있을 것 같다.

질투심

언젠가 언니는 내게 "너를 성장시키는 건 질투심 같아"라고 말했다. 나를 성장시키는 원동력이 질투심이라니 유치하고 졸렬해 보였다. 곰곰이 생각해 보자 맞는 소리 같기도 했다. 나는 늘 되고 싶은 이상향이 생기면 의지가 불타올랐다. 나보다 잘난 누군가를 질투하며 내가 이루지 못한 재능에 대해 갈망했다. 갈망은 새로운 목표를 가져오고, 새롭게 시작한다는 건 내게 뒤처지지 않았다는 안도감을 주었다.

엄마는 이런 나를 늘 '용두사미'에 비유했다. 시작은 용의 머리처럼 웅장하나 끝은 뱀의 꼬리처럼 빈약하기 그지없는 것. 실제로 이글거리는 열정으로 시작한 일은 금세 체력 부족 등의 수많은 이유로 마무리하지 못하고 끝나기도 했다. 인생은 장거리 경주인데 급발진하는 나를 보니 마치 페이스 조절에 실패한 달리기 선수 같았다. 결승점을 바라보고 달려야 하는데 도착하고 보니 결승점보다 조금 부족한 상태랄까.

그런데 모든 경주에서 실패한 건 아니었다. 시작해 봤기에 어렵지 않게 두 번째 도전을 하기도 하고, 열 번을 도전하면 다섯 번은 성공하고는 했다. 때로는 넘어진 곳이 결승점이었을 때도 있었고, 새로운 길로 향하는 전환점일 때도 있었다. 중간에 넘어지면 잠깐 쉬고 일어나 천천히 걸었다. 포기하지 않고 걷다 보면 어느새 질투라는 감정은 모두 사라지고 오로지 내게 집중하게 되었다.

질투는 부정적인 감정은 맞으나 질투를 느낀다고 해서 자책할 필요는 없다. 오히려 나를 객관적으로 판단하고 부족한 점을 채울 용기를 주기도 하니까. 질투와 용기는 어감도 뜻도 완전히 다른 단어이지만 어쩐지 내게는 닮게만 느껴진다. 중요한 건 시작할 용기 한 줌. 나에게는 시작의 원동력이 질투심이었을 뿐이다.

저마다의 속도로

삶은 저마다의 속도로 흘러간다.

"저마다의 속도로, 저마다의 속도로, 저마다의 속도로"

지치고 불안한 순간, 이 짧은 문장을 몇 번이고 되뇌곤 한다. 그럼, 문장이 내게 '다 괜찮다'라고 위로를 건네는 기분이 든다. 언젠가 내가 책을 낸다면 책 제목은 '저마다의 속도로' 쓰겠다고 정해뒀다. 책 내용도 생각하지 않고 이름부터 정한다니 웃기는 일이다. 나만의 방식으로 삶을 꾸려나가는 것, 친절함을 가장한 오지랖이 가득한 외부 세계에서 나만의 속도를 찾는 것이 오래된 내 꿈이었기에 그럴지도 모른다.

퇴사하던 날 걸어간 내리막길 풍경이 떠올랐다. 아침엔 바쁘다는 이유로, 저녁엔 지쳤다는 이유로 땅만 보고 내려갔던 길이다. 모처럼 찾은 여유를 놓치고 싶지 않다는 듯이 천천히, 아주 천천히 발걸음을 옮겼다. 담벼락에 피어있는 작은 꽃을, 하늘에 떠다니는 구름을 눈에 담았다. 수백 번은 지나갔을 이 길에서

단 한 번도 하늘을 바라본 적이 없었다니…… 가장 중요한 것들을 놓치고 살아온 기분이 들었다. 잠시 멈춰서서 구름 한 번 바라본다고 뭐라고 할 사람도 없었을 텐데.

여전히 초보운전인 나는 '서행한다'는 말을 참 좋아한다. 40킬로로 달리는 사람도 100킬로로 달리는 사람도 어차피 내비게이션 속 목적지에 도착하게 되어있다. 정말 운전을 잘하는 사람은 차 안에 탄 동승자를 불안하게 하지 않는다. 제 속도에 맞춰가는 차는 사고를 내지 않는다. 삶도 그렇다. 더 이상 나를 불안하게 하지 말자. 뭐든 저마다의 속도로 굴러가면 되는 거다.

감탄

크게 감탄할 만한 일이 없는 하루였다. 늘 지나치던 거리, 항상 마주치는 사람들, 매번 반복하는 업무의 연장선일 뿐인 하루. 그날 저녁엔 왠지 창밖이 보고 싶어졌다. 내가 살고 있는 곳은 저층. 창문을 열면 나무의 가장 꼭대기와 눈높이가 맞는다. 그리고 그날 바라본 풍경은 너무나도 경이로웠다. 세상에서 가장 아름다운 색을 골라 뿌려놓은 듯한 하늘과 흔들거리는 나뭇잎. 나무 아래에서 비호만 받아왔던 내가 타는듯한 노을을 배경으로 일렁이는 나무의 꼭대기를 보았을 때의 신선함은 충격이었다. 내게 나무는 안락하고 잔잔한 대상이었는데, 그 순간만큼은 마치 열렬히 타오르는 불꽃과도 같았다.

저렇게 커다란 나무도 성장하기 위해 치열하게 살아가는구나. 그날 이후로 나무의 풍경은 매일 달리 보였다.

감탄은 익숙함 속에서 피어난다. 익숙한 것을 새롭게 느끼는 감각. 그 감각을 곤두세웠을 때 우리는 의도치 않게 특별한 감정을 느끼곤

한다. 아마도 그 감정은 새로운 것을 접했을 때보다 더 충격적일지도 모른다. 일렁거리는 그날의 감정을 마음 깊이 넣어두고 살아갈 테다. 마주하는 사람들에게 마음을 다해 감탄을 보낼 수 있도록. 한 번 피어난 감탄의 불꽃은 쉽게 꺼지지 않을 테니.

사랑의 매듭

내 사랑의 끝은 늘 '권태기' 때문이었다. 설렘은 상대방과 먼 미래를 생각하게 하지만, 이런 나를 비웃기라도 하듯 곧이어 권태로움이 찾아왔다. 권태기가 찾아오면 난 사랑의 마무리를 할 준비를 했다.

권태란 내 생각을 완전히 바꿔버리는 무서운 존재였다. 복스럽게 먹는 게 참 예뻐 보였는데 꼴도 보기 싫어지고, 확인받고 싶어 했던 상대방의 감정은 부담스러운 짐으로 변해버렸다. 그런 감정이 들 때면 엄마에게 달려가 엄마는 아직도 아빠를 사랑하는지 묻고는 했다. 시간이 흘러도 변하지 않는 사랑의 선례를 보고 싶었는지도 모른다. 대체로 내 곁에 있는 사람들은 좋은 사람들이었기에 이 지독한 권태기가 끝나기를 기다렸던 적도 있다. 하지만 한번 찾아온 싫증은 떠날 생각이 없었고 그렇게 나의 사랑도 여러 번의 매듭을 지었다.

이번엔 꽤 오랫동안 바뀌지 않는다고 생각했다. 방심한 순간 권태는 찾아왔다. 오롯이 상대방이 원인은 아니었지만 한번 찾아온 권태는 상대방에 대한 마음마저 흔들었다. 이런 나의 싫증에도 그는 한결같았다.

비겁한 나는 그런 그에게 "나에게 권태기 느낀 적 없어?"라고 물었다. 그는 대답했다. "나에 대한 너의 마음이 조금 변한 건 느껴졌어." 담담한 그의 대답에 내 마음은 쿵 하고 내려앉았다. 나는 다시 물었다. "근데 왜 나한테 말 안 했어?" 그리고 이어진 그의 대답은 날이 서 있던 나를 무력화했다. "내가 더 잘하면 바뀌지 않을까 생각했어. 내가 할 수 있는 건 더 잘하는 것밖에 없으니까." 나의 사랑은 오만했다.

내가 사랑하는 것들은 늘 끝이 있었다. 금방 시드는 꽃, 금방 저무는 해, 금방 타버리는 사랑. 그런데 꽃은 다시 피고, 해는 다시 떠오르고, 사랑은 더 단단해졌다. 마무리 단계인 줄 알았는데 알고 보니 시작이었다는 뻔한 이야기. 뻔하지만 뻔하지 않은 그런 사랑.

행운의 법칙

행운을 만드는 법은 간단하다. 사소한 일에 행복을 느끼는 것. 행운은 아주 가볍고 사소한 일에서부터 시작된다. 신호등의 초록 불이 타이밍 좋게 켜졌다든가, 시계에 좋아하는 숫자가 보인다든가, 처음 먹어본 음료가 맛있다든가 하는 아주 사소한 일. 나의 행운은 특히 날씨에 적용되는데, 돌이켜보면 늘 화창했던 건 아니었다. 제주도에 간 날엔 태풍이 왔고, 크로아티아에 간 날엔 폭우가, 하와이에 간 날엔 천둥이 쳤다. 물론 그날도 나는 날씨의 요정이라고 자부했다. 제주도에서 태풍을 뚫고 사 온 회는 맛있었고, 크로아티아의 비 오는 거리의 풍경은 정말 멋졌다. (특히 비 오기 전 아침 일찍 성벽 투어를 마친 건 행운 두 배였다) 이처럼 행운은 비 오는 날에도 존재한다. 삶도, 우리의 기분도 늘 화창할 수는 없기에 순간의 행복을 만끽해야 한다.

좌절의 순간에도 아주 작은 긍정의 씨앗을 찾는다면 금세 분위기는 반전된다. 모처럼 친구들과 춘천 여행에 간 날이었다. 지도에 저장해둔 카페가 문을 닫아 다른 곳을 찾아보려고 우연히 걷던 골목길에는 해가 지고 있었다. 우리는 잠시 멈춰 일몰의 순간을 지켜보았다. 계획이 틀어져서 속상했지만, 카페에만 있었다면 이 그림 같은 풍경은 못 봤겠지. 곧이어 찾은 골목길 카페는 따스하고 편안했다. 인생의 화창한 날만이 행운이라고 믿는다면 삶의 극히 일부분만 보고 살아가게 된다. 그럴 때는 행운의 법칙을 떠올리자. 순간의 작은 행복을 느끼는 순간 행운은 시작된다.

정리

"방 좀 치우고 살아"

독립 전 엄마에게 숨 쉬듯 들었던 말이다. 물론 독립 후에도 내방은 어지럽다. 널브러진 물건 사이로 내 몸을 눕히면 나도 방에 놓인 물건 중 하나가 된 기분이다. 마음은 어지러운데 방만 깨끗한 건 이상하지 않나. 복잡한 마음을 숨길 수만 있다면 방이야 조금 더러워져도 괜찮다.

텅 비어있는 것보다 꽉 차 있는 게 좋아서 하나둘 사둔 물건들이 어수선하게 방에 놓여있다. 마음도 그렇다. 어찌할지 몰라 담아둔 감정들이 어느새 꽉 차버렸다. 고마운 마음, 미안한 마음, 서운한 마음, 억울한 마음. 다양한 마음들이 서로 얽혀있어서 어디부터 청소해야 할지 모르겠다. 마음도 정리 정돈이 필요하다.

가벼운 인사로 고마운 마음을 전하고 나면 다음은 미안한 마음 차례다. 부끄러운 마음에 전하지 못한 사과를 전하고 나니 마음속에도 숨 쉴 공간이 생겼다. 가장 정리가 어려운 건 서운한 마음이다. 사소한 일이라 누군가에게 전하기도 어려운 마음. 처음엔 마음의 크기가 작아 크게 자리를 차지하지 않길래 놔두었는데, 정신 차리고 보니 마음 구석구석 자리를 잡고 있어 떼어내기가 쉽지 않다.

마음을 정리해야 하는데, 결국 그 마음을 품은 대상까지 정리해 버렸다. 누군가 내게 마음을 정돈하는 방법을 알려주었으면 좋겠는데, 그런 건 어디서 찾을 수 있을까? 사실 방법은 이미 알고 있을지도 모른다. 내게 부족한 건 서운함을 표현할 용기 한 걸음. 오늘도 그 한 걸음을 내딛지 못해 다시 마음의 방 안으로 들어온다.

선입견

주관이 뚜렷한 사람이 되고 싶었는데 어쩐지 자꾸 색안경을 끼고 세상을 보는 요즘이다. 나이가 들수록 작은 손해도, 상처도 받고 싶지 않은 마음에 방어기제만 늘어간다. 재작년 새로운 동네로 이사를 갔다. 이사를 마친 후 바로 건너편에 위치한 식당에 가려고 하는데, 이삿짐센터 사장님께서 "거긴 가격만 비싸고 맛도 없어요."라며 말리셨다. 무슨 메뉴를 파는지도 모르면서 그 말 한마디에 나도 그 식당은 별로라며 가지 않았다.

전세 계약이 끝나고 동네를 떠나기 전 아쉬운 마음에 한 번도 가보지 않았던 그 식당에 가봤다. 들어가자마자 정겹게 반겨주시는 사장님과 깔끔한 식당. 메뉴판에는 내가 좋아하는 음식들로 가득 차 있었고, 음식은 아주 맛있었다. 왜 가보지도 않고 별로라고 판단했을까. 바로 코앞에 맛집이 있었는데 말이다.

평점이 낮아 보지 않았던 영화, 나와 맞지 않을 것 같아 멀리한 사람들. 이 외에도 내 고정관념 때문에 눈앞에서 놓쳐버렸을 수많은 것들이 떠올랐다. 고정관념을 버리는 건 타인에게 한 번 더 기회를 주는 일이라고 생각했는데, 사실 그건 내게 주어진 마지막 기회가 아니었을까?

금요일

금요일은 유독 시간이 빠르게 흐르는 기분이다. 주중 내내 온갖 바깥 냄새를 묻히고 온 나를 익숙함으로 씻어주는 주말의 시작. 휴일이 시작되면 주로 집에서 편히 휴식하는 걸 좋아한다. 낯선 것들에 둘러싸여 긴장되어 있던 몸과 마음을 편히 풀어줄 시간이다. 익숙한 동네, 익숙한 풍경, 익숙한 향은 마음에 여유를 되찾아 준다. 좋아하는 잠옷을 입고 푹신한 침대에 누워 보고 싶었던 영화를 보기도 하고, 산책하러 나가기도 한다. 그저 집 앞 공원에 앉아 살랑거리는 풍경을 보는 것인데 무척이나 행복하다.

모든 요일을 금요일의 마음으로 살아가면 좋을 텐데 그게 참 어렵다. 생각해 보니 주말이 행복한 건 바쁘게 살아온 주중이 있기 때문이 아닐까. 그저 흘러가는 시간이라면 주말이 행복할 일도 없겠지. 삶도 그랬다. 뭐든 멋있어 보이는 결과는 시간을 투자해야 얻을 수 있었다. 원하는 건 그저 하루 만에 얻어지지 않았고, 차곡차곡 직접 부딪친 시간이 쌓이면 그제야 내가 원하는 게 남았다.

그렇게 생각하니 전보다는 월요일이 덜 미워졌다. 덜 밉다고 덜 힘든 건 아니지만, 금요일을 더욱 의미 있게 만드는 주중이 내 노력의 집합체임을 알았으니 함께 사랑해 주어야지.

조각 모음집 (1)

내 취미는 조금 이상한 면이 있다. 보통은 좋아하는 대상에 빠져드는 것이 취미인데, 내 취미는 '불호'에서 시작한다. 책을 쓰고 있으니, 독서를 예로 들자면 나는 책 읽는 걸 좋아하지 않았다. 좋아하지 않으니 좋아하고 싶어서 독서를 시작했다. 그렇게 두 해가 지나가자, 습관이 되어버렸고 흔히 남들이 말하는 취미의 범주에 들어갔다. 누군가 취미가 무엇이냐고 물었을 때 선뜻 대답할 수 없는 이유는 독서를 시작할 때의 내 첫 마음가짐 때문일 거다. 좋아하진 않지만 좋아하고 싶어서 시작한 것들이 모여 내가 되어버렸다.

조각 모음집 (2)

어느 순간 나의 '성장'보다는 '연속성'에 집착하게 되었다. 얼마 전 시작한 영어 공부도 그렇다. 2 월에 스픽(영어 공부 앱) 1 년 정기권을 끊었다. 하루에 한 강좌를 들으면 달력에 불꽃이 피어나는데, 하루가 어긋나니 힘이 빠져버려 아예 그만둬버렸다. 달력 속 불꽃 기록이 꺼진 걸 본 순간 다 망쳐버린 것 같았다. 하루 망쳤다고 활활 타고 있는 불꽃이 아예 사그라드는 건 아니었을 텐데.

오늘의 성과는 오늘로 끝내기로 마음먹었다. 내일은 또 다른 내일의 할 일이 시작될 뿐이다.

조각 모음집 (3)

늘 바라만 보다 지나갔던 꽃집에 들러 노란 프리지어 한 다발을 샀다. 늘 누군가를 위해 꽃다발을 샀다면, 오늘은 온전히 나를 위한 꽃이다.

화병에 잘 넣어 책상 위에 올려두니 은은한 꽃향기가 코를 간지럽힌다. 내게 꽃을 받은 사람들도 이런 기분이었을까? 그저 작은 꽃인 줄 알았는데 사랑의 향이 둥실둥실 떠다니는 하루다.

조각 모음집 (4)

그런 날이 있다. 종이가 없다면 급한 대로 손등에라도 기록을 남기고 싶은 날. 스스로 느끼는 감정이 뭔지도 모른 채 문장을 끄적인다. 실체가 없는 감정에 실체를 부여하기 위한 문장들.

에세이 작업을 마무리하며 글을 쭉 읽어보니 제법 실력이 늘었다. (뛰어나다는 뜻은 아니다) 뒤로 갈수록 생각을 문장으로 남기는 일이 조금은 수월해졌다. 그럴 때면 문장 한 줄에도 저마다의 무게가 느껴진다.

충치

충치를 발견했다. 충치가 있는 줄 몰랐을 땐 거슬리지 않았었는데 불순물이 내 몸에 있다는 사실이 불편해졌다. 치과에 가서 당장 치료가 가능한지 물어봤다. 알고 보니 내가 발견했던 충치 말고도 뒤쪽 어금니에 거뭇한 점이 생겨있었다. 저것도 제거가 가능한지 물어보자, 선생님은 이렇게 대답했다.

"그렇게 다 제거해버리면 일 년에 한 번씩 이를 바꿔야 할 거예요. 조금 모자라도 제 것을 가지고 사는 게 좋습니다." 왠지 모르게 위안이 되는 소리였다.

흉이라고 생각했던 부분도 사실은 내 일부였을까.

흉터가 다 아물어야지만 낫는 줄 알았는데, 못생긴 흉마저도 내 삶의 흔적이었다.

"위이이이잉"

치과 기계 소리가 울린다. 평소엔 무서웠던 그 소리가 마치 실수투성이인 내 인생을 위해 울리는 축포 소리처럼 들려온다. 모자란 점을 감추기 급급했던 지난날들을 위로하며, 돌아날 새살을 축복하며.

다이버

수백 장의 이력서를 썼지만 정말 내가 하고 싶은 일이 무엇인지는 몰랐던 나의 과거를 되돌아본다. 꽤 괜찮은 직장에 다니면서도 위기가 오면 왜 난 항상 버티지 못했을까? 한 자리에 진득하게 있지 못하고 이직을 반복하는 내가 무엇이든 쉽게 단념하는 사람 같았다. 늘 몰두하고 살았지만, 정해진 길을 걸었을 뿐 '왜 그 길을 걷는지'는 생각해 보지 못했던 나날들이었다. 두 번의 회사를 거치며 그제야 내 성향과 어울리는 직업이 무엇인지 알게 되었다.

요즘 자주 듣는 팝송 Dive 에는 이런 가사가 나온다. "I am ready to Dive" 무언가에 열렬히 빠질 준비가 되어있다는 뜻이다. 노래를 부르는 가수의 표정이 행복해 보여 나도 당장이라도 어딘가에 뛰어들고 싶어졌다. 진부한 표현이지만 '심장이 뛰는 일'을 하고 싶어졌다. 그렇게 에세이를 쓰기 시작했다. 물론 글 쓰는 게 편한 일은 아니다. 정해진 방법에 따라 일하던 회사와는 다르게 모든 게 다 창작의 시간이다. 글감이 떠오르면 새벽이라도 벌떡 일어나 글을 쓰고, 하루 종일 생각에 잠겨있다 보면 퇴근 없는 직장 같달까. 그런데 즐겁다.

막히면 막히는 대로, 잘되면 잘되는 대로 심장이 두근거린다. 책임감으로만 지탱하던 이전의 생활과는 다르다. 당장이라도 깊은 영감의 바다에 뛰어들게 만드는 일. 나에게 그런 일이 찾아올 때면 언제나 망설임 없이 뛰어들 준비가 된 다이버가 되겠다.

상상

상상 속 내 모습은 늘 거창하다. 대단한 글을 쓰고, 대단히 말을 잘하고, 모든 일에 있어 능수능란한 사람. 그러나 상상 여행의 종착역은 늘 현실이었고, 여행이 달콤할수록 현실과의 괴리감에 괴로워하는 것도 내 몫이었다. 꿈을 꾸는 사람만이 꿈을 이룰 수 있다는데 나는 늘 꿈 안에만 머물러있는 기분이 들었다.

여느 날처럼 상상에 빠져있었다. 상상 속에서 나는 작가가 되었다. 누군가 읽어주지 않더라도 서고에 내 이름 석 자가 박힌 '내 책'을 꼽아두는 상상. 비슷한 상상을 반복하다 보니 상상에도 살이 붙기 시작했다. 어떤 책을 쓸지, 어떻게 출판할지 고민하고, 글감이 떠오르면 메모장에 한두 줄씩 써두는 습관마저 생겼다. 그리고 이 책이 나왔다. 물론 상상과 완전히 같지는 않다. (상상이 내 글솜씨마저 올려주진 않았다) 여러 번 읽어보아도 맘에 들지 않는 글. 사실 당연한 일이다. 과장하지 않고 솔직하게 쓴 글, 솔직한 내 모습이 모두 멋질 수는 없으니까.

그렇지만 나의 첫 책은 소설이 아닌 에세이였으면 했다. 나를 마주하는 일부터 시작하고 싶었다. 상상 밖으로 나와 현실의 내 모습과 마주하는 일. 그리고 그 모습을 그대로 인정해 주는 일. 너무 오랫동안 미뤄왔던 게 아닌가 싶다. 나의 마음에 너무 늦지는 않았는지 사과를 보낸다. 마음도 내 사과를 받아주었는지 왠지 모를 홀가분함이 느껴진다.

이제야 비로소

내 모습이,

내일의 내가,

내가 그리는 모든 상상이 제법 마음에 든다.